KENNY PORTER
WRITER

RICARDO LOPEZ ORTIZ
JUAN FERREYRA
JASON HOWARD
ARTISTS

ROMULO FAJARDO JR.
JUAN FERREYRA
JASON HOWARD
COLORISTS

STEVE WANDS
LETTERER

MAX FIUMARA
COLLECTION COVER ARTIST

플래시: 세상에서 제일 빠른 남자

초판 1쇄 인쇄일 | 2023년 6월 15일
초판 1쇄 발행일 | 2023년 6월 25일

글 | Kenny Porter
그림 | Ricardo Lopez Oritz · Juan Ferreyra · Jason Howard
옮긴이 | 안영환
발행인 | 윤호권
사업총괄 | 정유한
편집 | 백소용
마케팅 | 정재영

발행처 | (주)시공사
출판등록 | 1989년 5월 10일(제3-248호)

주소 | 서울 성동구 상원1길 22 6-8층(우편번호 04779)
전화 | (02)2046-2800
팩스 | (02)585-1755
홈페이지 | www.sigongsa.com

ISBN 979-11-6925-750-3 07840
ISBN 978-89-527-7352-4(set)

* 시공사는 시공간을 넘는 무한한 콘텐츠 세상을 만듭니다.
* 시공사는 더 나은 내일을 함께 만들 여러분의 소중한 의견을 기다립니다.
* 잘못 만들어진 책은 구입하신 곳에서 바꾸어 드립니다.

트럭에 상품 다 실어.

센트럴에서는 박쥐 놈 만날 일이 없긴 하지만 긴장은 하고 있으라고--

--괜히 일 늦어지긴 싫으니까.

당신네 가족이 망토 놈들이랑 문제가 있던 건 알아요, 빈센트. 그래도, 우린 괜찮은 거죠?

고담이 아닌 이상 문제될 건 없어.

브룸, 애들 데리고 상자 열어, 빨리!

질 좋은 "대여" 총기를 얻었네.

세상이 바뀌었으니-- 도둑질을 하려면 제대로 준비해야겠지.

자, 이제 급여랑 경비에 대해 말하자면... 먼저 보험을 제대로 들어 놔야--

KRAK!

WHOOOOOSH

--뭐야?! 총 어디 갔어?

아, 상자 속에 있던 총들 말이야?

미안! 이상한 사람들이 자동화기를 팔아먹으려는 걸 못 참겠더라고.
그나저나 만나서 반가워. 나는--
플래시
너희 여기 있는 거 배트맨도 알아? 너희가 다른 도시랑 바람 피웠다고 화낼 텐데.
죽여!
SSHHHOOOOOOM

KLANG
KLANG
KLANG
KLANG
KLANG

BONG
KLANK
CRONK

끄아아아아아!

레킹볼에 주먹질하는 것 같잖아!

더 놀아 주고 싶은데, 돈을 조금밖에 못 받아서.

THOOOM

또 보자고, 플래시.

그래…. 슈퍼히어로 되고 나서 이 정도면 괜찮지….

손가락 네 개 부러지고 갈비뼈 세 대가 나갔을 뿐이니까.

아야!

갈비뼈 네 대….

덕분에 걸어오고 참 고맙네, 빈센트. 원래 직원 복지가 이딴 식이냐?

배달 일 실패한 사람한테 이 정도면 잘 쳐 준 거야.

플래시를 때려잡아 줬으니 그만큼 추가 비용 입금하면 넘어갈게.

메타휴먼 하나에만 달러는 받아야 하는 거 알지?

누가 잡으래?!

오늘 일에 수익이 있긴 해?

돈 받고 싶으면 플래시가 총을 부수기 전에 미리 막았어야지.

내가 그걸 어떻게 해…. 아 좀, 뭐라도 줘 봐.

나 돈 필요해.

네 몸의 고철들을 떼어다 건설 현장에 팔아넘기시던가.

약속한 돈은 주는 게 좋을 거다, 빈센트! 안 그랬다간 너희 가족이 아까 그 상자 속에 든 너를 만나게 될 테니까!

쏘지 마!

그렇게 돈이 필요해? 그럼… 좀 더 나은 거래를 해 보자고.

플래시를 죽여서 센트럴 시티가 좋은 작업장이 되면 내가 처음 제안한 돈의 세 배를 주지.

세 배?

플래시만 죽이면 된다는 거지….

그래, 성공하면 그 정도는 줄 수 있어.

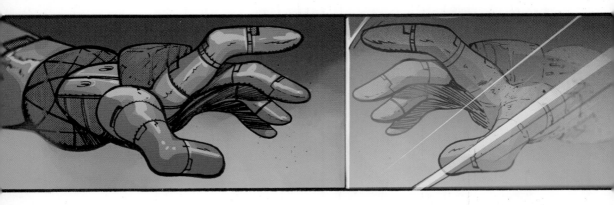

좋다.

거래가 성사돼서 기쁘군. 그럼, 우선은 어떻게 찾아낼 거야?

문제가 생기면 달려 나오는 놈이잖아? 문제는 내가 잘 일으키고.

또 실험실에
지각이라고?

이번에는
일찍
일어났는데!

BEEP
BEEP
BEEP

여보세요? 패티?
나 진짜로, 거의 다 왔어.
몸이 좀 안 좋은 거
같아서--

앨런, 변명은 됐어.
나랑 알버트 지금
서류 작업 때문에 죽겠고
실험실은 난리야.

언제
도착하는데?

CHOOM

아, 이런….
왜 하필
지금!

배리?
무슨 일인데?
그건 또
무슨 소리고?

어, 패티--
오늘 출근 못 하겠어.
아픈단 거 진짜야….
온몸이 쑤셔.

내 몫까지
처리해 주면 나중에
내가 네 업무
다 할게!

뭐?!
배리, 그렇게
될 일이--

고맙기도 하지.

에이, 별말씀을…. 그냥 물리 법칙을 한 번 더 어겨 줬을 뿐인걸요.

아무튼 왜 선을 넘고 내 도시 일에 나선 거야?

아, 그게 미쳤는데요…. 단독 영웅 일을 하다가… 잘 안 됐어요.

거더라는 이름의 거구 금속 인간이 절 죽이겠다고 달려들어요.

제가 원래 범죄현장에 들어갔다가 나오는 편이지, 싸우러 들어가는 편은 아닌지라.

그리고… 한 대 칠 때마다 손가락 부러지는 것도 싫고요.

이젠 금속만 봐도 공황 장애가 온다니까요.

싸우는 법을 알고 싶다고?

내가 좋은 선생이 될 수 있을지 모르겠군…. 내 방식은 다르니까. 그래도 알려 줄 수는 있겠--

좋아요! 케이브에서 봐요!

그냥 가 버리다니…. 참나.

THOOOSH

앨런 도련님?
이 동굴에 폭풍을 일으키신
분인가요?

SKAASH

알프레드,
무슨 작업 하시는 거예요?
마이크로 압축 기술
같은데.

브루스 주인님께서 휴대가
더 간편하고 더 견고한 수트를
만들고 계십니다.

꾸준히 개발하고
연구실험을 해야 하죠.

--보안 카메라 확인 결과,
메타휴먼으로 알려진
거더가 은행에 침입하면서
플래시를 공격하고
막대한 부수적 피해를
입힌 것으로--

여기 위치도 기억하고
참 장하네.

뭐부터 시작하면 되죠?
유도? 크라브 마가?

나한테
배우고 싶다면
기본부터
시작해야 한다.

배리,
너 주먹을 제대로
날리는 법은 알아?

센트럴 시티
종합병원.

아부지….
잠시 들렀습니다.
저어… 괜찮으신지
보려고요.

제가 이렇게
변하고도… 아부지는
제가 옳은 방향으로
갈 수 있도록
이끌어 주셨죠.

전 아부지에게
옳은 일을
하겠어요.
딱 한 번만 더--

ㅇㅇㅇㅇㅇ….

히야, 아부지-- 열이
너무 나신다…. 도와드릴게요. 제 피부가
부드럽진 못해도 차가우니까….

여기 문짝
어디 갔어?
누구시죠?
면회 시간 아니에요!

저기요?

"싸우는 법을
알고 싶댔어. 좋아."

"우선
질문 하나만 하자…."

…네가 신경 쓰는 게 정말 그거냐?

믿을 수가 없는데.

엄마, 아빠한테 그런 일이 생기고 나서 사람들을 돕고 싶어졌어요.

근데 죽는 걸 두려워하면 돕지 못하잖아요.

그래, 그렇다면 시작하지.

THOOOSH

하지만 계속 그 능력에 의존하면 실력이 늘지 않을 거다.

맞네요, 죄송…. 반사신경이라.

그냥 걱정돼서요…. 이런 일이 적성에 안 맞는 거면 어쩌죠?

THOK

질문은 그만하고 **가드나 올려!**

어… 이거 제가 한 거 맞죠? 하나도 안 다쳤네?

내 벽은 많이 다쳤군.

초음속으로 펀치를 날리면서 동시에 신체의 분자들을 조작해--

주먹의 밀도를 높였어요…. 제가 전부 다 파괴해 버렸네요.

그 기술을 그대로 이용하면 거더에게 한 방 날려 줄 수 있을 거다.

그러게요. 근데 인파 속에서 조금이라도 삐끗했다가는 사람들이 다칠 거예요.

그래서 연습이 필요한--

뭘 연습한다고요? 거리 하나 날려 버리기? 제가 조금만 엇나가면 어떻게 되는지 한번 보세요!

THOOOSH

KA-KOOOMM

아무튼 내가 하려던 말은 환경에 휘둘리지 않는 정신을 기르라는 거였다.

이거 보험 처리 되죠? 그게, 이거 원래 울퉁불퉁한 벽이니까 상관없지 않을까요…. 그죠?

--센트럴 시티 경찰 본부를 공격한
거더의 요구사항은 플래시의
무조건 항복입니다. 경찰 인원들은
건물에서 대피 중이며--

가야겠어요--
물론 초음속 펀치는
절대 안 쓸 거예요.

사람들을
구하고 싶다면
위험한 일도 해야
하는 거야.

그게 위험하다면
안 할 거라고요.

THOOOSH

마지막으로
묻겠다.
플래시는
어디 있어?

SMASH

날 찾았다고?
여기 있다!

플래시?
들리나?

제가 좀 바빠요,
배트맨.

우선
집중부터 하고
주먹을 날려야 해,
배리--. 누가
다치기 전에.

안 된다고요!
배트모빌 날아간 거
보셨잖아요-- 괜한 짓
말자고요!

빠른 공격으로
표면을
마모시켜--

나다!

센트럴 시티 고철 처리장으로 보내기 전에 그만둬.

배트맨?!

내가 너희 둘 다 잡아 주면 인제릴로는 좋아 죽겠지!

일어서라, 플래시.

플래시가 어디 있는데요? 플래시는 끝났어요.

전 실패자예요. 수트도 아슬아슬해요-- 다 망가졌어…. 애초에 저 혼자 할 일이 아니었어요.

내 말 들어, 배리--. 넌 우주에서 가장 위험한 것에 맞서 지구를 구해 냈어.

싸움에서 질 수 있다는 걸 알면서도 너는 사람을 구하기 위해 달려왔다.

패자들은 그런 행동 못해--. 용기 있는 자라면 모를까.

그래요? 애초에 제가 해낸 모든 일이 그냥 운이 좋아서였다면요?

자꾸 망치기만 하는 제가 무슨 히어로예요?

너는 끈질기게 일어서서 끝까지 싸우는-- 최고 중의 최고다.

이건 또 뭐죠?

플래시는 안 끝났어-- 너의 이야기는 이제부터 시작이다.

이건 그 시작에 맞춰 알프레드와 내가 주는 선물이야.

세상에서 제일 빠른 남자가 다시 일어설 시간이다.

불평 끝났으면 저 괴물이나 잡자고.

플래시의 이야기는 끝나지 않았어… 이제 시작이야….

"내가 걸어 온 삶…."

"…내가 잃은 사람들…."

"…지금이라도 구할 수 있는 사람들…. 아직 안 끝났어."

"쉽지 않겠지-- 쉬운 적이 없었으니까."

그저 달리면 돼.

KRA-KOOOM

이-이게 뭐야?

왜 그래, 거더?

그냥 뒈지면
안 되는 거야?! 나 돈 못 받으면
아부지 죽는다고!

아빠랑
뭔 상관인데?

전부 다!

인제릴로한테 돈 못 받으면
아부지는 치료 못 받아! 다 나 때문에!
내가 실패해서!

진작
말하지 그랬어.
우리가 같이
해결해 보자.

네가 죽으면
고민해 본다!

그럼 알겠어.
기회는 줬다.

THOOOSH

SKREEEE

다시 해 볼까⋯.
아까처럼⋯.

집중하자⋯ 집중⋯.
잘 조준해서⋯.

⋯지금이다!

10분 뒤.

전화하게 해 줘. **지금.**

고마워요…. 그, 도와주신 거요.

수트도 정말 고맙고요--.

--완전 멋져요!

제가 날린 펀치들 봤어요? 옷에 문제도 없네요!

배트맨 없이는 절대 못 했을 거예요.

그 펀치나 패기 모두 다 너의 것이었어.

나 없이도 해냈을 일이야.

말이 나와서 그런데, 저 필요한 게 있긴 해요.

뭐지?

어이, 간수--
나 전화부터
해야 돼!

잘 지내고
있어?

덕분에 잘도 지낸다.
너 때문에 나도 아부지도
죽게 생겼으니.
아부지는 곧 길바닥에
버려지겠지.

그럴 일은
없지
않을까….

"내가 좀 알아봤는데
익명의 기부자가 아버님 병원비를
전부 내줬어."

"걱정 마. 다 지불됐으니까."

왜 그런 거야?
난 너 죽이려고
했는데.

무슨 생각했을지
난 아니까…. 아빠를
돕고 싶단 생각.

나도
이겨 내려는 중이야.
너도 같이
이겨 내 보자.

흐음… 장담은
못 하는데….

…어쨌든
고맙다,
플래시.

THOOOSH

영혼 하나씩 구하면서 세상을 구하겠단 건가?

시작이죠.

다른 사람은 어땠을지 몰라도 저의 이야기라면 제 방식으로 도와야 할 거예요.

그리고 옷 갈아입으려고 매번 집에 들를 필요가 없어졌으니 남는 시간을 건설적으로 보낼 방법을 생각해 보려고요.

BOOM

일하러 가야겠네.

수트 입을 때까지 기다려 드려요?

먼저 가. 따라가지. 센트럴시티의 영웅이 달리겠다는데 내가 발목을 잡아서야 쓰나.

세상에서 제일 빠른 남자가 나가신다!

STRONGER THAN STEEL

강철보다 강한

KENNY PORTER WRITER
RICARDO LOPEZ ORTIZ ARTIST
ROMULO FAJARDO, JR. COLORIST
STEVE WANDS LETTERER
MAX FIUMARA COVER
JUAN FERREYRA VARIANT COVER
JORGE CORONA & SARAH STERN 1:25 & 1:50 COVERS
BEN MEARES ASSOCIATE EDITOR
ANDREW MARINO EDITOR
KATIE KUBERT SENIOR EDITOR

센트럴 시티
항만하역장.
7:30 a.m.

보스, 접니다…
…또 그랬어요. 이번엔 코스트 시티 화물입니다.

내 생계 수단이 빨간 쫄쫄이 광대한테 산산조각이 나고 있는데 내게 전화할 시간이 있어?

다른 배로 옮겨 싣기까지 한 시간 주지. 못 끝내면 네가 강에 빠져야 할 거야.

알아들었어?

알겠습니다. 걱정 마십쇼, 보스－－. 고작 한 놈이니 금방 잡을 겁니다, 네.

거물이 나설 때가 됐다니까, 잭 형.

패밀리가 너를 필요로 할 때 부르겠다고 했잖아－－ 그동안 넌 우리 애들이나 잘 잡아 놔!

같은 말 또 하게 만들지 말라고, 조이.

그래… 내가 경솔했군. 잊고 있었어－－

"--형이 다 잘하고 있는데."

보스?
여보세요?

그놈한테
죄다 잡혀갔어요--
지원 요청합니다!

보스?

총 좀
내려놓을래?
자꾸 쏘면 내가
못 멈추잖아.

넌 이게
재밌냐?

그래, 그렇다면
**몬텔리오니 패밀리의
선물**을 받아라!

하!
멍청한 번개남이
날 잡을 수 있다고
생각한 건가?

"총 내려놔"라는
말을 왜 이해 못 하는
거지?

전부 다
개판이네!

이러면 나더러
어떻게 돈을 벌라는
거야?

너무 작게
생각하네, 형.

아빠가 형을
후계자로 삼았다지만
사업을 굴릴 때는 천 달러짜리
양복 이상의 것이
필요하기도 해.

조이--
나도 너와
패밀리를 위해
최선을 다하고
있어.

내가
너랑 사업을
잘 간수하겠다고
부모님과 약속했잖아.
게다가 네 사고
이후로--

사고 아니야, 잭 형.
깨어난 거지.

형도 눈을 떠.
형이
우리 생계 수단을
망치는 순간--

센트럴 시티 연구 센터.

CENTRAL CITY RESEARCH CENTER

THOOOSH

아, 패티, 안녕…. 알버트도. 지금 막 왔어?

한 시간 전에 왔어, 배리. 넌 어디 있다가 온 거야?

알고 싶지도 않지만.

아, 그게-- 이웃집 강아지 산책시키다가 부둣가에 난파된 배를 봤고… 그냥 일상이지.

아무튼 일할 생각에 몸이 근질거려!

너 지각할 때마다 우리가 뒤치다꺼리 해 주는 거 알지?

플래시가 나타난 후로 우리가 맡는 사건이 두 배가 됐어. 더는 못 봐준다고.

그래…도 내가 왔잖아-- 어떤 업무를 도우면 될까?

그것도 말하려던 참이었어, 배리--. 이미 우리가 다 시작했거든.

뭐? 그럼 난 뭘 하면 좋지?

SLAM

BOMP

싱 박사님! 죄송합니다!

배리 앨런? 안 나오는 줄 알았는데. 오늘도.

아, 그러게요, 죄송합니다… 지금 저한테 떨어진 일이 과하게 많아서요.

그치만 더 잘하겠습니다.

배리, 나도 자네가 여기 있는 게 좋아. 자넨 천재라고… 근데 시간은 지켜야지.

우선순위를 제대로 정하지 못한다면 프로그램에서 자를 수밖에 없어.

맞습니다… 우선순위… 근데 저 장갑차 영상 생방송은 아니겠죠?

LIVE

ARMORED CAR

VRR

생방송이야. 이 도시가 점점 미쳐 가는 것 같구만.

별로 걱정은 안 하려고. 어차피 플래시가 처리할 테니까.

VRRRRR

VR RRRRR

저, 어… 좀 화장실 좀 가야겠습니다. 금방 올게요.

여기 이 파일들은 어쩌고? 배리?

배리!

--납관에서 출력할 수 있는지 확인해 봐. 이미 시도해 봤다는 건 알지만 또 한다고 나쁠 거 없어.

알겠습니다, 박사님.

아, 배리 앨런, 살아는 있었나?

내가 어제 세 번이나 전화했는데. 화장실에 갔다가 다시 안 오더군.

네…. 죄송합니다. 장염… 걸려 보셔서 아시죠?

어이쿠.

아, 왜 그래--. 잘 정리해 둔 건데!

어차피 너는 CSI보다 청소부가 어울리잖아. 이따 보자, 앨런!

배리, 이미 얘기했네만… 함께하지 못하는 자네를 이번 프로그램 때까지 정직 처분해야겠어.

제발-- 싱 박사님, 한 번만 봐주세요! 잘할 수 있습니다!

자네가 따라오지 못하는 게 보여. 뭔지 몰라도 마음 잘 추스리라고. 고민 얘기할 사람 없어?

그야… 있긴 하죠….

저…
지금까지 일들을
생각하면 제 몸 하나도
건사하지 못하는 것
같아요.

아빠,
저 바보 같죠?

바보라니. 배리,
그건 인간적인 거야.

네…. 아니면, 그냥
멍청한 걸 수도.

인턴십이랑…
도시를 뛰어다니는
부업… 아빠 챙기는 거….
너무 많은 일을 하고 있어서
못 따라가는 것
같아요.

아들, 네가
어떤 일을 겪는지
정확히 안다.

내가
지금부터 하는 말은
진심이야--.

--넌
멍청한 거
맞다.

넌 항상 이랬어.
너무 많은 짐을 지고,
너무 서두르는 탓에
뭔가를 돕기에도
부족해.

격려 참 고맙네요.
그럼 저보고
어쩌라는 거예요?

VRRRR

제… 부업을 관둘 수는 없어요. 중요하거든요.

그렇다고 과학 수사를 접을 수도 없고… 아빠를 저버릴 수도 없고.

한꺼번에 해야 한다는 게 문제예요.

그럼 한꺼번에 하지 마. 그럴 필요 없어.

한 번에 하나씩 집중해서 해결해.

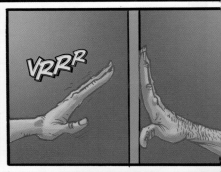

그 순간에 집중해. 잘 들어…. 나이가 들면 집중하지 못했던 과거를 아쉬워하게 돼.

고마워요, 아빠…. 제게 꼭 필요한 말이었어요.

됐다!

자, 저랑 같이 나가요!

우선 저와 두 분의 진동수를 일치시켜서 제가 두 분을 통과하는 일이 없게 할 겁니다. 그러려면 시간이 좀 필요해요.

VRRRRRR

시간이 없어요-- 빨리!

우와….

이게 뭐야?
집중이 안 되나?

아으으으으으으!

상관없다!
배는 떠났고
넌 나를
상대해야 해.

어쩌게?
날 때릴 건가?
건들기만 해도
네 손이 탈 텐데!

중요한
사실을 알려 줄게,
타르핏--.

--널 때릴 때
굳이 건드리지
않아도 돼!

이-이게 뭐야?

내 몸에 구멍을 뚫었잖아! 미친 거 아냐?

내가? 타르 괴물 분노조절장애인 너보다?

괜히 더 곤란한 일 생기기 전에 그냥 포기해.

이게 곤란한 일이라고?

진짜 곤란을 보여 주마!

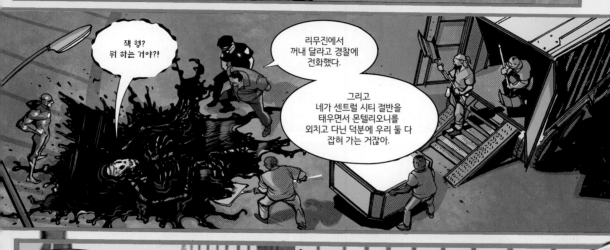

…진짜 안 믿겨요, 아빠. 제가 수사를 돕고 있어요-- 진짜 사건을!

인턴십이랑 부업 사이에서… 진짜로 누군가를 돕고 있다는 기분이 들기 시작했어요.

일주일 뒤.

이 아빠를 보러 올 시간도 생겨서 다행이구나.

네가 얼마나 바쁜지 알아.

시간이야 만들면 언제나 있죠. 순간에 집중하는 게 중요하지.

내 아들 맞네. 오늘 뭐 할 거냐?

슉슉 돌아다니면서 다른 일에 도움이 될 만한 정보를 캐 보려고요.

그 다음엔 사건 현장과 데이트. 그리고 아빠, 저 처음으로--

"--지각 안 할 것 같아요."

센트럴 시티
사우스 블록
연구 센터

해가 서쪽에서 떴나? 왜 배리가 우리보다 먼저 왔지?

우리 없을 때 일 망치려고 온 거 아니야?

이번 주에 벌어진 사건이 많던데, 조사 시작했어.

증거들 테스트 러닝하고 패티의 최근 분석 자료를 기록한 다음 아침도 사 왔지.

우왓, 인팬티노에서 사 온 커피야? 아직 따뜻하네!

엄청 멀어서 고속도로 진입할 때쯤이면 다 식던데.

그래…. 인정할게…. 살짝 놀랐어.

커피랑 도넛 맛있는 건 둘째 치고 일도 잘했군.

뭘 했는지 몰라도 긍정적인 변화야, 배리.

제대로 일에 임하게 되어 기쁘군.

자, CCPD에 보낼 옛 사건 파일 위치 아는 사람?

이미 꺼내 뒀죠! 교환할 것들이 좀 있다던데, 금방 다녀오겠습니다.

그럼 자네 둘은 이거나 설명해 봐. 어떻게 무언가 결심한 인턴 하나가 아침 시간 동안 두 사람 분량의 일을 한 거지?

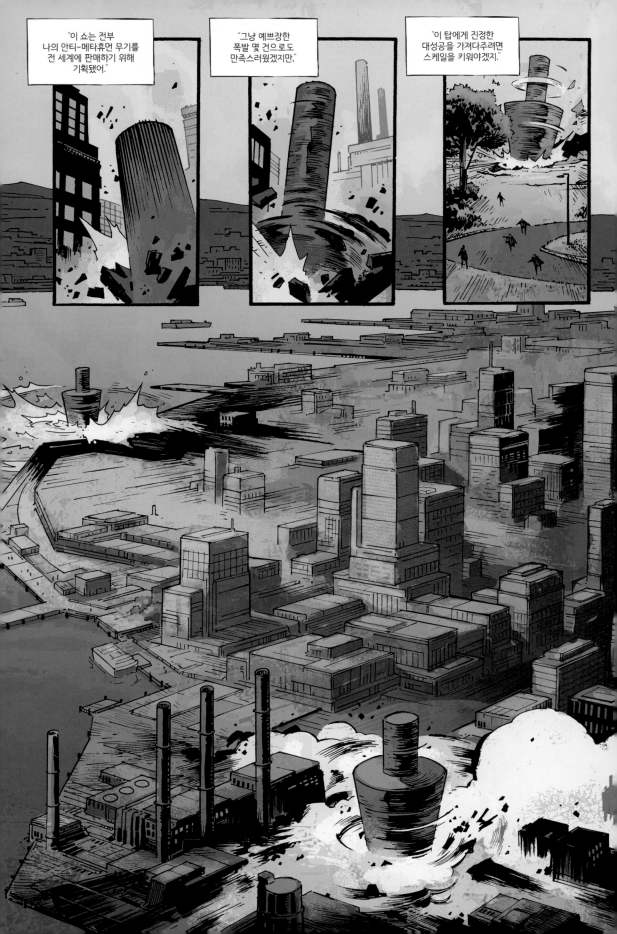

미쳤다….
빠른 속도로 방향을
바꾸는 도중에 진동을 주면
환영이 남는구나….
잔상처럼.

이걸
써먹으면
되겠다.

하지만
잔상을 남길 수
있다고 해도….

…그 사실은
변함없어….

…한 번이라도
실수하면….

…전부 다 죽어….
나 때문에…. 녹음 종료.

그런 위험은
감수 못 해.

플래시도 내 아들에게 배울 점이 있다.

너는 다른 사람들이 평생에 걸쳐 경험하는 일을 최근 몇 년 동안 혼자 겪었어.

너도 포기하지 마. 플래시도 마찬가지고.

이유가 뭔지 아니?

왜냐면 넌 가장 용감한 아이니까. 정말로, 내가 본 사람 중 가장 용감하잖아.

플래시와 만나서 독하게 한 마디 해 줄 수 있다면 이렇게 말해 줘.

자기 일 잘 해치우고 센트럴 시티를 위해 최선을 다하라고.

고마워요, 아빠…. 듣고 싶었던--

그래, 네가 꼭 듣고 플래시도 들어야 할 말이다.

자신감은 정말 좋은 거고… 플래시도 분명 갖고 있을 거야.

하지만 온 세상이 최악의 상황으로 치달을 때도-- 자신을 믿는 유일한 사람이 누군지 아니? 배리 앨런, 너다.

이제 가서 그 친구한테 일어서서 달려 나가라고 전해. 알겠지?

제가 죽고 나서 누가 이 녹음을 발견한다면, 축하합니다, 당신은 플래시의 정체를 알아냈거든요.

탑과 싸울 수는 있지만 센트럴 시티를 걸고 싸울 수는 없어요…. 시민들한테 나와 도시 중 하나를 택하라는 짐을 지울 수도 없고요.

그래서 저는 어려운 일을 하려고 합니다…. 옳은 일을….

…탑에게 저를 넘길게요.

여기까지 배리 앨런… 플래시…. 녹음을 마칩니다.

딸깍

센트럴 시티 스퀘어에서 생방송으로 전해드립니다. 톰슨 시장이 직접 항복을 선언하고 플래시를 넘기겠다는 약속을 전한다고 합니다.

WNTDOWN FLASH 3:4

빨리 왔네. 솔직히 놀랐어. 진짜 마지막은 돼야 올 줄 알았는데.

제안에 대해 고려해 본 바, 걸려 있는 부분이 너무 크기에 긴 숙고 끝에 만장일치의 결정이 나왔습니다.

옳은 일을 하겠단 건가?

뭐 하는 거야, 딜런?!

입증을 하랬지, 학살을 하랬냐! 바이어들이 발을 빼고 있다고!

그들이 이 상황을 두려워한다면, 빌, 구식 총과 탱크로 열심히 싸우라고 전해.

내가 플래시만 죽이면...

...전 세계의 사람들이 자신의 몸을 강화하려고, 아니면 내 무기를 사려고 몰려들 테니까.

CLICK

내가 전쟁의 새 시대를 열 것이다-- **메타휴먼 시대.**

상품을 시험할 차례.

THWAK

미안, 늦었지--.

--너 잡기 전에
할 일들이 좀 있었거든.

오우우,
다시 그 자만에
빠져 버렸군….

"…센트럴 시티는 진정한 영웅을
희생시킬 생각은 없으니…"

…다 같이
죽으면 되겠네!

RUMMBBBLLE

들려?

"거대한 팽이는
각각의 재미난
기믹이 있어."

THOOOM

죄송해요….
이 거리, 탑…
전부 다요.

우리 애가
할 말이
있다네요.

플래시가
망가뜨리려던 것도
아니고 일부러
나쁜 놈을 부른 것도
아니잖아요….
괜찮아요.

고마워요,
플래시.

언제나…
언제나 곁에서
도울게요.

KENNY PORTER WRITER
JASON HOWARD ART & COLOR
STEVE WANDS LETTERER
JASON HOWARD COVER
SCOTT KOLINS VARIANT COVER
JORGE CORONA &
SARAH STERN 1:25 AND 1:50 COVERS
BEN MEARES ASSOCIATE EDITOR
ANDREW MARINO EDITOR
KATIE KUBERT SENIOR EDITOR

배리 앨런의 모험은
영화 플래시에서 계속됩니다!

THE
FLASH

The Flash: The Fastest Man Alive #1
theatrical variant cover by Andy Muschietti,
Danny Miki, and Alex Sinclair

Tarpit designs by Juan Ferreyra

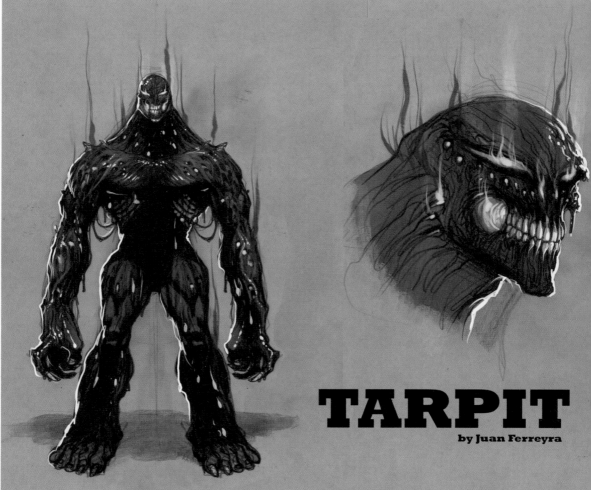

TARPIT
by Juan Ferreyra

The Top design by Jason Howard

THE TOP
JASON HOWARD
2·3·22

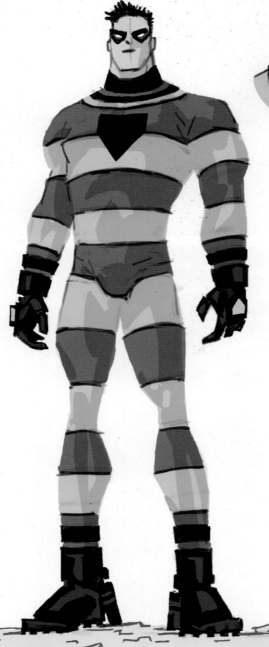

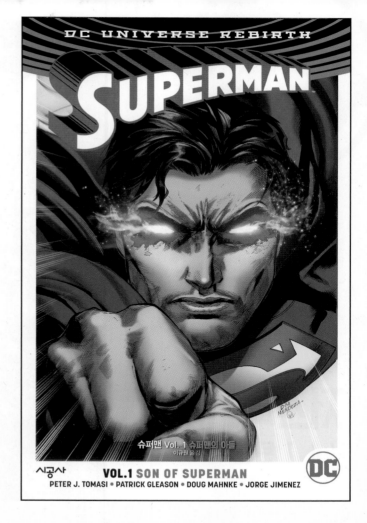

"피터 J. 토마시와 패트릭 글리슨은 이 책에서 무언가 특별한 것을 창작하고 있다."
너디스트

"탁월한 감정 표현을 통해 새로운 버전의 슈퍼맨 가족과 사랑에 빠질 수밖에 없게 만드는 시리즈."
IGN

슈퍼맨 전 6권

피터 J. 토마시 · 패트릭 글리슨 지음
이규원 옮김

슈퍼맨 Vol. 1 슈퍼맨의 아들
이규원 옮김

시공사 **VOL.1 SON OF SUPERMAN**
PETER J. TOMASI · PATRICK GLEASON · DOUG MAHNKE · JORGE JIMENEZ

슈퍼맨: 액션 코믹스: 리버스 디럭스 에디션 전 3권

플래시 Vol. 전 7권

아쿠아맨 Vol. 1-2

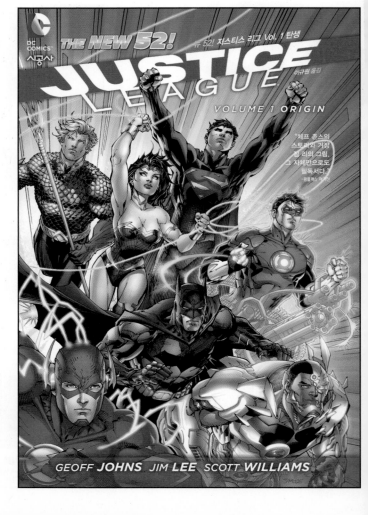

저스티스 리그

Vol. 1 탄생

제프 존스·짐 리 지음
이규원 옮김 192쪽 / 14,000원

저스티스 리그 Vol. 2 악인의 여정
168쪽 14,000원

저스티스 리그 Vol. 3 아틀란티스의 왕좌
192쪽 16,000원

전체 이야기를 읽어 보세요!

온·오프라인 서점에서 바로 구매하실 수 있습니다!   시공사